Enriquece tu vida sexual

Grupo ROBIN BOOK

Barcelona - México
Buenos Aires

Enriquece tu vida sexual

Anne Dennet

Vital

© 2011, Ediciones Robinbook, s. l., Barcelona

Diseño de cubierta e interior: Cifra (www.cifrabcn.com)
Fotografía de cubierta: iStockphoto

ISBN: 978-84-9917-111-1
Depósito legal: B-16.708-2011

Impreso por Egedsa
Rois de Corella 12-16
08205 Sabadell (Barcelona)

Impreso en España - *Printed in Spain*

Índice

Introducción

Este libro no tiene como finalidad realizar un estudio exhaustivo sobre la sexualidad, ni hacer un inventario de las múltiples posturas sexuales detalladas ya por los clásicos en Oriente.

Nuestro propósito es poner un poco de sal a vuestra vida sexual de una manera clara y amena. Informaros de aspectos que puedan alimentar vuestra creatividad para que el sexo no represente un acto monótono y aburrido. Describir algunas posturas sexuales para que las podáis disfrutar en pareja, señalar las zonas más erógenas del hombre y de la mujer y hablar de otras cuestiones que pueden aumentar sensiblemente vuestra vida sexual. Por eso, y dado que la plenitud sexual es un factor de gran relevancia en la felicidad humana, parece que vale la pena echarle un vistazo a toda fuente de información que pueda contribuir a su conocimiento.

Os invito a disfrutar y calentar motores.

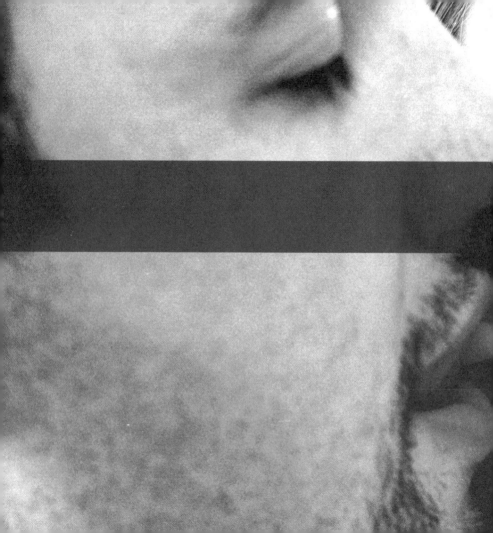

La importancia
de los preliminares

Los últimos avances médicos demuestran la importancia de considerar cuerpo y mente como un todo. Los sexólogos nos recomienda trabajar con el cuerpo y la mente al mismo tiempo para intensificar nuestra consciencia sexual. Eso significa que lo interesante a la hora de disfrutar del sexo es **centrarnos y concentrarnos en las sensaciones.** Las caricias son las protagonistas de esta primera fase. La caricia debe ser suave y lenta; y se pueden utilizar tanto movimientos largos y profundos como cortos. Todo ello es lo que denominamos el toque sensual frente al sexual, que está más relacionado con la excitación. Por ello en esta etapa lo importante es centrarse en tu propio placer, pues de este modo no generas expectativas en el otro ni ejerces presión preguntándole si le ha gustado o no.

Esta primera fase es fundamental porque alimenta el deseo, potencia todos los sentidos y nos abre un mundo de sensaciones tan excitantes y placenteras como el acto sexual. Vale la pena dedicarle el tiempo que merece porque de estos preliminares surgen mejores relaciones sexuales. Vivimos en un mundo marcado por el estrés y las prisas, esto genera muchas veces que nos saltemos los preliminares y vayamos directamente al grano. Y por este motivo el sexo acaba convirtiéndose en algo rutinario y muy poco placentero. El placer sexual es un aspecto vital en nuestras vidas, y debemos darle todo el tiempo que nos pida. Por ejemplo, antes de hacer el amor resulta muy agradable poder darse un baño con nuestra pareja.

Empieza pasando las manos suavemente por la espalda.

No debes empezar nunca directamente sobre el sexo, el culo o el pecho. Acaricia sus orejas, pestañas, cuello axilas, pezones, ombligo, columna vertebral, los muslos, las manos, sus nalgas. Para ello puedes utilizar de todo, el pelo, tus pezones, las manos, el vello púbico, o lo que se te ocurra. Recuerda que **si te concentras en las sensaciones** el placer se eleva exponencialmente.

Debéis concentraros
todo lo que podáis
en el punto exacto
que tocáis y
en el que os tocan.

17

Cómo besarle

El beso puede representar un gesto de fusión, de afecto, de pasión y de respeto. Por eso, besar es todo un arte sobre el que te has de concentrar para sentir sus labios contra los tuyos, tu lengua contra la suya; lame la comisura de sus labios, acaricia su cara y cuello… La boca, los labios y la lengua son zonas con una gran capacidad erógena. El beso antecede siempre al acto sexual, por eso es tan importante que pongamos los cinco sentidos cuando besamos a nuestra pareja. Lame sus labios, aspíralos, mordisquea su lengua, y explora su cavidad bucal. De vez en cuando abre los ojos para mirarla fijamente. Este es el mejor momento para que las miradas sean de lo más intensas.

Cómo tocarlo

Los sexólogos recomiendan que para disfrutar del sexo lo mejor es no angustiarse por si conseguiremos multiorgasmos o erecciones extraordinarias. Todo ello es lo que acaba matando la sexualidad y el deseo.

Así que lo mejor que puedes hacer es **acercarte a tu pareja con calma** y sin prisas. Piensa que cuanto más placer experimentes, más placer transmitirás. El sexo pide ciertas dosis de egoísmo; lo que es bueno para ti también lo es para los demás.

Las caricias que provocan e incitan

Es mejor que al principio las caricias sean muy suaves, tocando, por ejemplo, solo con la punta de los dedos. Acaricia a tu pareja delicadamente, pero evitando rozar las zonas más erógenas, o como mucho pasa tus dedos cerca pero sin llegar a tocarlas. La clave del éxito está en crear falsas expectativas. Si lo haces bien no podrá reprimir el jadeo.

Cómo masajear

Crea un ambiente adecuado de luces suaves y agradables aromas. El masaje debe hacerse en una habitación que os aísle de cualquier interrupción molesta.

Utiliza aceites. El de almendras dulces es el más usado y se puede comprar en grandes almacenes, aunque también te puede servir leche hidratante de cuerpo. Puedes realizar un masaje por todo el cuerpo. Pero ante todo pídele a tu pareja que se tumbe relajadamente y se entregue a ti.

Acaricia a tu pareja cerca de las zonas
donde más desea que la acaricies.

La cara

Es una parte del cuerpo bastante ignorada cuando realizamos un masaje, pero es fundamental que empecemos por aquí. Siéntate con las piernas cruzadas detrás de su cabeza. Coloca entonces los pulgares a ambos lados de la frente, masajeando suavemente en dirección a las sienes. Hay que masajear, con mucha dulzura, todas las zonas de la cara y estudiar una a una todas sus curvas.

23

Las piernas

Con las dos manos alrededor del tobillo, sube suavemente hasta la parte superior del muslo y vuelve a bajar. Cuando subas puedes acercarte peligrosamente a los genitales, pero recuerda no te lances todavía y resérvate para cuando la pasión se desborde.

La espalda

Con la palma de la mano y los pulgares colocados a
ambos lados de la espina dorsal, a la altura de los riñones,
vuelve a subir con firmeza pero con suavidad hasta la
nuca; acaricia la parte superior de la espalda, realizando
movimientos circulares, antes de volver a bajar sobre las
caderas y volver a empezar. Cuando te acerques a la nuca
es buen momento para susurrarle tus deseos
o fantasías sexuales que ayuden a subir la temperatura.

Los pies

Masajea intensamente cada dedo del pie, sin olvidarte de la planta. Vuelve a subir hacia los tobillos dirigiéndote luego hacia los muslos.

Intenta sentir como si fueras tu pareja y **trata de averiguar sus reacciones y deseos.** Luego masajea, con la palma de tu mano, sus nalgas y ve subiendo ahora hacia la espalda: el gran dorsal, deltoides, romboides, la oreja, un susurro.

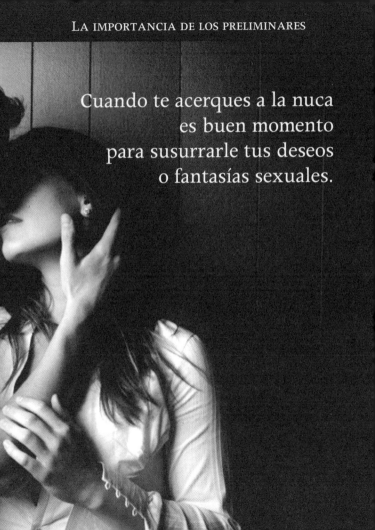

Cuando te acerques a la nuca
es buen momento
para susurrarle tus deseos
o fantasías sexuales.

Las orejas

Las orejas son una de las partes más sensibles del cuerpo humano, y en contra de la creencia general, las de los hombres suelen serlo más que las de las mujeres. Concretamente las zonas más delicadas son: el lóbulo de la oreja y la parte trasera. Sin importar el sexo de tu pareja, prueba la siguiente técnica: introduce la punta de tu lengua en el interior de su oreja y traza circulitos. Después lame el lóbulo de la oreja y aprisiónalo entre tus labios, apretándolo con suavidad. También puedes soplar suavemente detrás de la oreja. Si a estas caricias y mimos le añades una dosis de palabras cariñosas y de sensuales susurros seguro que derretirán de placer a tu pareja.

Los pechos del hombre

Aunque en el pezón del hombre hayan menos terminaciones nerviosas que en los de la mujer, una estimulación prolongada permite aumentar la pasión. En las relaciones heterosexuales, los pechos masculinos y el ano constituyen una de las zonas erógenas un tanto olvidadas.

Acarícialos suavemente con tus manos dibujando círculos imaginarios a su alrededor pero sin tocarlos. Cuando notes que se endurecen repite el mismo movimiento sin tocar los pezones y de vez en cuando pasa tus dedos sobre ellos. Acto seguido, pasa tu lengua y chúpalos con deleite.

Las caricias, en los pechos
de la mujer, deben ser suaves
pero intensas a la vez.

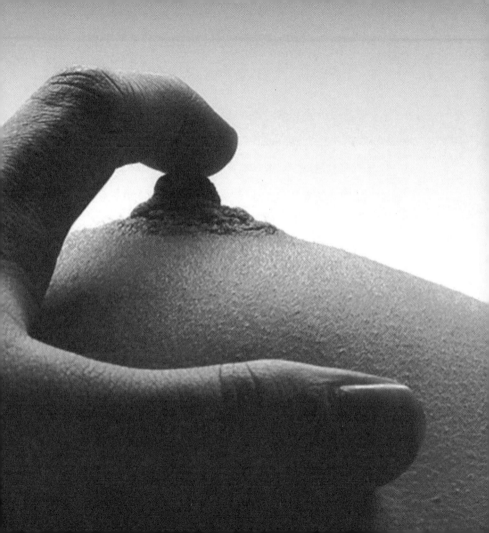

Los pechos de la mujer

Puedes empezar recorriendo con la lengua el pezón sin apenas rozarlo con los labios. Al utilizar la punta de la lengua, podrás sentir con mayor precisión la reacción del mismo, ya que el pezón es capaz de agrandarse y ponerse mas firme cuando la mujer se excita.

Introduce el pezón en la boca y presionarlo suavemente entre la lengua y el paladar para luego succionarlo suavemente. Juega con distintos movimientos mientras tienes el pezón en la boca, mueve la cabeza hacia los lados, hacia atrás y adelante, usa toda la lengua para recorrerlo, ve sintiendo la reacción de tu pareja para poder identificar que es lo que le causa mayor placer. A algunas mujeres les gusta sostenerlos ellas mismas, o acercarlos a la boca del amante para que éste los lama o bese.

Algunos hombres tienen miedo de morder los senos por si hacen daño, pero **masajear el pezón con los dientes y tirar delicadamente suele ser placentero.** Aunque siempre es mejor preguntar. Otra alternativa es acariciar los senos con el glande, práctica que seguro, gusta a los dos.

Las partes erógenas

El clítoris

Es la parte más erógena del cuerpo femenino y la más fácil de estimular. Se ha de hacer suavemente y sin precipitación, para que no moleste. Evita tocar el clítoris si está seco; así que si no tienes a mano ningún lubricante, **pon un poco de saliva en tus dedos antes de tocarlo**. La estimulación del clítoris con la punta del pene erecto es una sensación bastante placentera para muchas mujeres.

La vagina

La entrada de la vagina es rica en terminaciones nerviosas y reacciona con intensidad a toda clase de caricias. Los labios menores de la vagina son mucho más sensibles que los mayores, sobre todo a lo largo de la superficie interior. En la pared frontal de la vagina se encuentra el denominado punto G, terriblemente sensible a la estimulación erótica. Un divertido juego sexual que pueden practicar todas las mujeres a solas o con la pareja es la búsqueda exacta del punto G. Más adelante detallamos la manera de encontrarlo.

Perineo

La zona localizada entre los órganos genitales y el ano
es muy sensible a la estimulación. Por desgracia poca
gente disfruta de ella. En el caso de la mujer, esta zona
reacciona muy bien a la presión de los dedos o a las
caricias circulares. En el caso del hombre, es más sensible
aún, debido a que bajo la piel se encuentra la próstata, el
llamado punto G masculino.

Si quieres probarlo presiona con firmeza y con solo uno o
dos dedos sobre la piel que hay detrás del escroto; no lo
hagas más de un segundo y repítelo varias veces. Si a ello
le añades una felación, es posible que a tu pareja le cueste
bastante quitarse de la cabeza la experiencia.

Los testículos

Son extremadamente sensibles. Pueden estimularse con la lengua, mediante suaves lamidos o manualmente mediante caricias. Siempre hay que ir con cuidado y no dar toques bruscos ni golpes. El suave jadeo se puede convertir en un estridente «¡ay!», que sería nefasto para la magia del momento.

El pene es la zona más sensible
de un hombre, y por lo tanto es
donde disfruta de las sensaciones
más intensas y placenteras.

El pene

Es la zona más sensible de un hombre, y por lo tanto es donde disfruta de las sensaciones más intensas y placenteras.

El glande y el frenillo son las zonas erógenas por excelencia; también llamado punto V del hombre; son aquellas zonas cuya excitación asegura la eyaculación. La corona del glande está salpicada de terminaciones nerviosas, por lo tanto es la zona del hombre más erógena pero al mismo tiempo más frágil. Requiere que la toquemos con una delicadeza extrema, bastante enemiga de las prisas y la inexperiencia.

La mejor forma de estimulación del pene es la oral, ya que el contacto con la lengua es mucho más suave que con las manos o los dedos. Se pueden dar pequeños golpecitos con la punta de la lengua y suaves lamidos en círculo, alternando con pasadas verticales y horizontales.

En caso de que se usen los dedos o cualquier otra parte del cuerpo ten la zona bien lubricada para que el contacto sea suave.

La próstata

Es el llamado punto G masculino porque produce sensaciones extremadamente intensas.

Solo a través del ano podrás llegar a este músculo; aunque recuerda que también lo puedes estimular a través del perineo.

El ano
Está dotado de gran sensibilidad tanto
para el hombre como para la mujer, aunque
tradicionalmente, las parejas heterosexuales son las que
menos partido sacan a esta zona del cuerpo. Una de las
formas de estimularlo es mediante suaves movimientos
circulares con la yema del dedo o con la puta de la lengua.
Si lo prefieres, existen unos lubricantes estupendos con
deliciosos aromas y sabores.

Las parejas
heterosexuales
son las que menos
partido sacan
a esta zona del cuerpo
masculino.

Las masturbación

La comunicación es fundamental

No existen dos personas que se masturben de la misma manera; la duración, el ritmo y el estilo de cada uno siguen siendo únicos. Lo importante es que se puedan intercambiar libremente y en confianza los gustos y deseos de cada uno, y siempre desde el respeto. Una comunicación sin prejuicios es básica para alcanzar grados de complicidad únicos que pueden convertir el ejercicio sexual en una experiencia exclusiva, enriquecedora e inolvidable.

Masturbación recíproca

La masturbación recíproca puede ser terriblemente excitante. Para ello es vital saber cómo se masturba nuestra pareja. Saberlo nos permitirá tener un conocimiento íntimo y exclusivo; aunque es raro que a muchas personas les cueste compartirlo incluso con sus parejas.

Una de las formas es masturbarse al mismo tiempo y estimularse del mismo modo que lo haríamos a solas. Si, por lo que sea tienes algún tipo de pudor, no temas mirar a tu pareja a los ojos, es cuestión de superarlo. Tampoco te frenes a la hora de verbalizar tus temores, pues con ello te librarás de complejos y frenos y a cambio fortalecerás la complicidad.

Cómo masturbarlo

Estira a tu pareja boca arriba. Coge los testículos con las manos y sopésalos con suavidad. Agarra la base del pene con una mano y actúa con firmeza con la otra. Haz que tu mano se deslice a lo largo del pene cerrándola cuando te acercas al glande y abriéndola cuando vuelves a la base. Es importante mantener un movimiento regular.

Puedes acercarlo varias veces al borde del orgasmo e interrumpir tus movimientos para obligarle a contenerse. Ahora bien, **no seas cruel y cuando esté a punto de gozar no te pares, eso ya rozaría la tortura**. Tampoco te olvides de los testículos, puedes masajear con suavidad el escroto; no falla.

Cómo masturbarla

La técnica de alineación coital (CAT, del inglés Coital
Alignment Technique) consiste en realizar la masturbación
del clítoris durante el coito mediante los movimientos de la
pelvis.

El hombre se sitúa sobre la mujer, partiendo de la posición
del misionero. Ambos pubis frente a frente y la penetra
colocándose más arriba que de costumbre, por lo que la
base de su pene presionará sobre el clítoris. Ella pone
sus piernas alrededor de los muslos del él colocando
sus tobillos sobre las pantorrillas. Solo utiliza el pubis
para moverse, ni las piernas ni los brazos actúan aquí
(si se coloca una almohada debajo de la cintura de ella
para arquear la espalda, se ayudará a exponer el clítoris

a más estimulación). Ella empuja hacia arriba y hacia delante apretando su pubis contra el de él. Él sigue sus movimientos pero continúa presionando sobre el pubis de la mujer. El pene entra en la vagina con este movimiento hacia arriba, durante el movimiento inverso es el hombre quien fuerza el pubis de la mujer para que vuelva a bajar y a retroceder.

Cuando se acerca al orgasmo no hay que acelerar el movimiento, sino seguir con el mismo ritmo.

La masturbación
suele efectuarse
con las manos o mediante
el frotamiento
de los genitales.

La felación

Aquí, los labios y la lengua son las principales fuentes de sensaciones. Empieza por lamer el glande y sigue a lo largo de la cara externa, sobre el prepucio, con la punta de la lengua. Inicia el movimiento de vaivén lento y suave, cada vez más profundo, al tiempo que realizas una ligera succión. Recubre los dientes con tus labios para no hacerle daño y coge la cabeza del pene con la mano; haz presión con los labios alrededor del tronco; primero a un lado y después al otro.

Mientras besas y lames, deja que la lengua se deslice por todo el pene y luego extendiéndola, golpea repetidamente el prepucio y el extremo. Mete el pene en lo más hondo de tu boca y tira de él chupando con energía.

Cuando sientas que está a punto de llegar al orgasmo, introduce todo el pene en la boca, como si te lo tragaras entero y chúpalo, y masajéalo con los labios y la lengua hasta dejarlo exhausto.

No retires la boca bruscamente, sobre todo cuando él esté eyaculando. **No hay nada peor que gozar en el vacío.** A menos de que hayas avisado a tu pareja de que no ibas a tragarte el semen .

El cunnilingus
En este caso la boca y la lengua son los actores que dan placer a los genitales femeninos.

Puedes empezar uniendo delicadamente, con las puntas de los dedos, los labios de la vagina y bésalos como si le besaras los labios inferiores. Con tu nariz sepáralos y deja que tu lengua se deleite con los fluidos que salen a flote mientras la nariz, los labios y el mentón se mueven en círculos.

Puedes besar y lamer el labio inferior y exterior, despacio, abriéndote camino hasta llegar al capuchón del clítoris y al mismo clítoris.

Empieza con movimientos amplios y lentos para ir

haciéndolos cortos a medida que te acercas a la perla.
Por lo general, los movimientos suelen gustar
cuando son sostenidos y repetidos durante
un rato, para luego cambiar poco a poco la caricia y el
lugar. Confía en tu perspicacia e intuición pero también
pregunta.
Cuanta más comunicación sincera haya
entre los dos, más lejos llegaréis.

El dominio del cunnilingus
por parte de la pareja permitirá
a la mujer obtener orgasmos
más intensos.

El misterioso punto G

El interés en localizar este punto radica por un lado, en el gran placer que proporciona, y por el otro, lo poco conocido que es para muchos hombre y mujeres.

En ella

Existen dos zonas en el interior de la vagina potencialmente capaces de ofrecer un placer intenso a la mujer. Estos son el punto G, y en el fondo de la vagina, el cuello del útero.

El dominio de este placer vaginal permitirá a las mujeres obtener orgasmos más espectaculares, más largos, más profundos y, por qué no, descubrir las mieles de la eyaculación femenina.

Dónde está

Localízalo a solas. Explora el interior de tu vagina introduciendo dos dedos. Comprobarás que la pared lindante con el recto es totalmente lisa y no muy sensible. Si sigues penetrando notarás el cuello del útero. Si giras los dedos hasta que las yemas miren a la vejiga distinguirás una zona situada justo después del cuello del hueso púbico cuya pared es algo rugosa y con protuberancias. Si al apretar ligeramente sobre ellas como si quisieras alcanzar la vejiga experimentas una sensación intensa, casi dolorosa, como con unas ganas casi incontrolables de ir a orinar, significa que ya es tuyo. **Has encontrado el maravilloso punto G.** ¡No te sientas decepcionada si pensabas que te ibas a excitar al momento! De lo que se trata es de estimular esta zona cuando ya estés excitada. Enséñale a tu pareja el descubrimiento y muéstrale el camino con la yema de sus dedos; piensa que los más probable es que por cuestiones posturales será tu amante el encargado de estimular tu punto G.

Las dos posturas más eficaces para favorecer la estimulación del punto G

Las posturas más adecuadas son aquellas en las que el pene acaba su vaivén sobre el punto G y no al fondo de la vagina, como ocurre con el coito clásico. En general son mejores aquellas penetraciones en las que os encontráis cara a cara, donde el glande presiona hacia la vejiga.

61

A horcajadas e inclinada hacia atrás

Siéntate sobre tu pareja, que estará sentado con las piernas estiradas o semiestiradas. Ponte de cuclillas con los pies planos sobre la cama y toma impulso con los pies para subir y bajar. Una vez penetrada inclínate hacia atrás, con las manos colocadas detrás de ti a cada lado de sus piernas. Oscila la pelvis hacia delante de forma que el glande no choque contra el fondo de tu vagina sino sobre tu punto G. Toma impulso para hacer un movimiento de vaivén y libera una mano para acariciarte el clítoris.

El misionero en escuadra

Túmbate boca arriba y coloca un cojín debajo del culo para que las nalgas estén ligeramente elevadas. Tu pareja debe estar de rodillas, con el torso bien recto para formar un ángulo recto contigo.

De este modo, su sexo debe presionar sobre tu punto G. Dobla las piernas y dobla las rodillas hasta que lleguen al nivel de tus hombros, si no puedes apóyalos sobre los hombros de tu pareja. **Déjate llevar por las caricias** que le dedica a tu clítoris.

En él

También denominada próstata, **el punto G masculino es una glándula firme al tacto** del tamaño de una nuez, que rodea la uretra, justo debajo de la vejiga y directamente encima del perineo. Esta glándula está compuesta por diminutos vasos sanguíneos, además

Enséñale a tu pareja tus descubrimientos y muéstrale el camino que debe seguir para darte placer.

de músculo y tejido glandular, capaces de segregar con energía parte del fluido lechoso de que se compone el semen. Cuando esta zona se estimula es capaz de provocar en el amante unos gemidos de placer y un orgasmo de película.

La eficacia en la estimulación de la próstata

Antes de estimularla asegúrate de que está excitado y tiene el pene erecto, pues de lo contrario el juego puede llegar a resultar incómodo y doloroso.

Vacía la vejiga antes de empezar, lo cual hará que no estés pensando en ir al retrete, pues lo más probable es que empieces a sentirte así cuando empieces la estimulación.

Hay que tener paciencia y practicar; ya se sabe, las

cosas de palacio van despacio. La forma más eficaz para estimular la próstata es a través del recto y la estimulación del perineo. Por desgracia, con respecto al primero, el rechazo de las prácticas de sexo anal convierten esta actividad en un tema tabú y cargado de prejuicios. Así que, lo mejor que se puede hacer es empezar por superar prejucios.

A través del recto

Esta manera es mucho más placentera para el hombre, pues implica accionar el punto G de manera más contundente. En este caso, es mejor que el hombre se relaje y deje de lado todos los prejuicios homofóbicos (si es que su relación es heterosexual); no es nada raro ni anormal sentir placer en esta zona. El amante deberá introducir un dedo bien lubricado en el ano del hombre. Puedes empezar masajeando el perineo para excitarlo, por ejemplo, como lo hemos explicado antes. Cuando lo tengas, presiónalo poco a poco para que se acostumbre a esta sensación, si se trata de la primera vez.

El punto en cuestión se encuentra a 5 cm de la entrada del ano, así que una vez localizado masajea la zona con suavidad y delicadeza.

Desde el perineo

Para encontrar la glándula, que se encuentra directamente encima del perineo, debe buscarse un pequeño bulto o nudo. Cuando lo hayas localizado puedes acariciar el perineo dando pequeños golpes, masajeando, lamiendo o acariciando con la yema de los dedos. **También puedes utilizar un vibrador.** Tiene bastante éxito apretar con el segundo nudillo del dedo medio de la mano, y con o sin efecto vibratorio.

Recuerda que todo ello siempre lo puedes combinar con la estimulación de la abertura anal o del pene.

Encontrar las mejor postura

Se trata de encontrar las más cómodas o las que mejor se adapten a nuestros cuerpos. Cualquiera vale si nos permite obtener placer, y ante la duda, la que vuestra imaginación sugiera.

El perineo femenino podría
ser la zona más erógena
por su alto contenido
en terminaciones nerviosas.

Algunas técnicas amatorias

Ordeñar el pene

Esta es una técnica que puede utilizarse en muchas posiciones amatorias diferentes. Para realizarla contrae los músculos pubocoxígeos (PC) mientras el pene está dentro de ti, como si estuvieras ordeñándolo. Si formas un círculo con los dedos o utilizas un anillo suave (de los que se venden en tiendas especializadas) alrededor del pene, la erección será más fuerte y es posible que también dure más tiempo.

Si los músculos están muy bien entrenados, tienen la capacidad de tensarse cuando están apretados.

El truco de la yegua

Es la capacidad de retener el pene de tu amante dentro de ti y no dejarlo salir.

Las mejores posiciones son la posición cerrada y la entrelazada (en la primera él mueve el pene hacia arriba y hacia abajo sin salir de la vagina, y en la segunda ella coloca uno de los muslos alrededor de uno de los suyos, junta bien las piernas y a la vez aprieta los músculos vaginales). Si lo haces bien la estimulación será mucho más larga.

El pañuelo

Coloca un pañuelo muy fino alrededor del pene. Pon las manos en la zona cubierta por el pañuelo y **realiza un movimiento de arriba a abajo** girándolas de vez en cuando.

Puedes mover la piel que hay bajo del pañuelo o bien mueve solo el pañuelo.

El pulso

Agarra con las dos manos la cabeza del pene. **Aprieta suavemente durante un segundo y luego suéltalo.** Descansa. Vuelve a hacerlo.

El truco consiste en imitar el ritmo de su pulso.

Si se hace durante la eyaculación el resultado es espectacular.

Con sencillas técnicas
amatorias puedes
intensificar
tu vida sexual.

Ejercicios Kegel para ella

Estos ejercicios refuerzan la musculatura
pélvica, que se contrae durante el orgasmo.

Para identificarlos y valorar el estado de los mismos
intenta detener la orina unas cuantas veces. No confundas
los glúteos con los músculos de la pelvis, ni aprietes el ano.
Si ves que no puedes detener el pis, entonces tómate muy
en serio ejercitar la musculatura. Tienes bastante trabajo
por delante.

Una vez localizados, se trata de contraer y relajar la
vagina, como si apretaras algo en su interior. Empieza
por pequeñas series de veinticinco hasta llegar a series
de cincuenta. Una vez por semana, realiza este ejercicio
de contracciones introduciendo dos dedos en la vagina

(los tuyos o si lo prefieres, los de tu pareja). Con esto conseguirás, por un lado, intensificar la calidad de tus contracciones y por el otro, comprobar los avances en la tonicidad. Ya veréis cuando lo hagas con el pene…

Ejercicios Kegel para él

Por lo general, los hombres deben hacer lo mismo que las mujeres. Es decir, primero identificar los músculos mediante el test de la orina, o tratando de levantar el pene erecto. Piensa que cuanto más alto levantes tu pene en erección, más en forma están tus músculos. No hace falta que lo practiques únicamente cuando estés excitado. Para empezar tensa los músculos de la pelvis y relájalos tratando de no apretar el área del ano. A medida que vayas tonificando la musculatura llegarás a realizar unos doscientos ejercicios al día. Tranquilo, en total suelen ser unos siete minutos. Hay algunos que incluso llegan a sostener pesas con el pene. No te preocupes, tampoco hace falta tanto, pero si quieres ponerte este reto, puedes empezar con un trapo seco alrededor de tu pene erecto. Después ve haciéndolo más pesado mojando las puntas del trapo. No te olvides de respirar profundamente; inspira al tensar y exhala para relajarlos.

Técnicas de penetración

Todo aquel que le gusta el sexo se da cuenta de que no hay nada más pobre que hacer el amor a base de entrar y salir como si de autómatas se tratara.

La gracia está en variar los patrones de penetración mientras prestas atención a los indicios de éxtasis de tu pareja.

Una buena forma de empezar

Un pequeño envite desde atrás hacia delante que sirva para introducir únicamente el glande es bastante acertado en los preliminares. Al principio repítelo con frecuencia, suavemente y a intervalos distintos. Cuando la vulva esté convenientemente lubrificada y oronda de deseo, húndela un poco más, alternando las penetraciones suaves y lentas con las más bruscas y violentas.

Antes de profundizar coge el pene con la mano y gíralo en las inmediaciones de la vagina. En este estadio, has de intentar mantener la penetración profunda el máximo tiempo posible: la excitación es potente para los dos, así que en el caso del hombre hay que ir con «cuidadín» de no provocar una eyaculación precoz.

Disfruta
de los preliminares
antes de pasar
a la acción.

Uno más uno menos

Uno de los patrones clásicos sugeridos en algunos de los antiguos libros eróticos chinos consiste en realizar nueve penetraciones profundas, luego una superficial y lenta; ocho penetraciones profundas, luego dos superficiales, siete profundas, y así sucesivamente. Un tipo de penetración aumenta y otra disminuye.

La penetración superficial estimula el punto G con mayor efectividad.

De todas formas tampoco hay que tomárselo al pie de la letra pues las mujeres prefieren un tipo de penetración diferente para cada momento. Lo mejor es siempre preguntar.

Inventa tus propias técnicas de penetración

Intenta mantenerte fuera y luego sorpréndela con tres envestidas profundas. Invéntate una danza de giros, movimientos profundos, luego superficiales, al revés…

Piensa que cualquier técnica es buena para explorar y aumentar las posibilidades de complicidad y placer.

Movimientos femeninos durante el coito

Tiéndete boca arriba bajando la cabeza hasta que toque el pecho, eleva la parte central de tu cuerpo para ampliar la abertura vaginal. Si la humidificación vaginal no es del todo agradable, siempre podéis tener a mano un lubricante.

Si quieres que la abertura de la vulva sea más estrecha y pequeña coloca los muslos hacia el abdomen flexionando las piernas por las rodillas.

La pinza

La mujer monta al hombre a horcajadas mientras él está tumbado sobre su espalda y de cara a ella. La técnica consiste en mantener el pene dentro de la vagina, atrayéndolo, presionándolo y manteniéndolo dentro durante un rato.

Esta técnica permite cruzar unas cuantas miradas de deseo y amor; además, ella también puede hacer unas cuantas caricias en el pecho y en los testículos.

Esta técnica permite cruzar miradas de deseo y amor.

Unos consejos útiles

Respiración

La respiración es de vital importancia. Respira profundamente con el vientre mientras hagas el amor. Una respiración profunda aumenta tu capacidad de llegar a orgasmos más fuertes. Además, también es fundamental para controlar la eyaculación precoz: la respiración lenta y profunda es clave para permanecer relajado cuando el hombre está muy excitado.

Aunque no se consigue inmediatamente, con el tiempo respirarás de esta forma sin darte cuenta. El que algo quiere, algo le cuesta, y esto vale la pena. Empieza sobre una superficie firme y liberándote de cualquier prenda que te oprima el vientre (fajas, cinturones). Cuando cierres los ojos coloca una mano sobre tu estómago, debajo del ombligo y empieza a respirar en dirección a la mano que está sobre el estómago. **Exagerando el movimiento, empuja hacia arriba al inspirar y déjala caer al exhalar.** Exagera este movimiento y ve haciéndolo cada vez más lentamente. Empieza con diez veces y llega hasta unas treinta.

Involucra al clítoris

En realidad no existen muchas posiciones que estimulen directamente el clítoris de la mujer. La mayoría de veces hay que apartarse del camino para tocarlo.

De todas formas siempre hay pasos a dar para estimular esta zona. Algunas ya se han mencionado anteriormente y otras saldrán más adelante.

Visualizar

Es un ejercicio tántrico indicado para introducirte en la meditación o profundizarla. **Lo bueno de esta práctica es que ayuda a desarrollar tu capacidad orgásmica.**

Siéntate en un lugar tranquilo y visualiza con la mente la imagen que has escogido antes de iniciar el ejercicio. No hace falta que sea algo complicado una imagen simple sirve, aunque alguien más versado en la materia puede llegar a imaginar la energía subiendo por su columna, saliendo por la cabeza y luego recirculando hacia abajo por el torso para llegar a los genitales. Así es cómo los taoístas hacen recircular la energía orgásmica para tenerla disponible en cualquier momento del día.

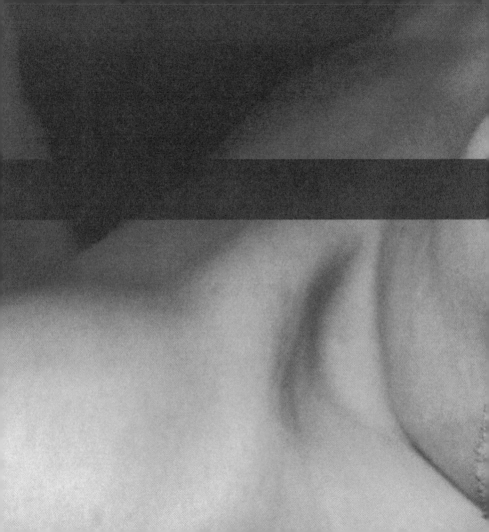

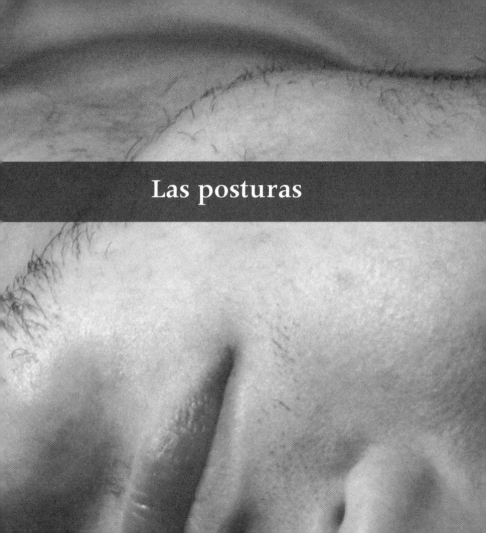

Las posturas

Con ella arriba

El 69

Se trata de una postura universal que puede satisfacer tanto a una pareja heterosexual como a una homosexual. Cuando la mujer está encima (suele ser lo más habitual) entonces el juego está en sus manos. Él se tumba boca arriba mientras ella se estira sobre él pero en sentido inverso. Es decir, el sexo de cada uno queda a la altura de la boca del otro. También pueden uno y otro introducir el dedo en los anos correspondientes.

En esta postura, el gusto es compartido y simultáneo. Hay felación y cunnilingus al mismo tiempo, que además pueden ser compartidos con caricias de todo tipo. No obstante, el placer se multiplicará si cada uno de los amantes actúa por turnos. **La postura más descansada para ambos amantes es aquella en la que los dos se tumban de lado.** Así, ninguno queda aplastado por el otro; sobre todo en aquellos casos en los que uno es más corpulento que el otro. O sea, a pedir de boca.

El asiento o *face sitting*

Esta postura sentada te permite disfrutar de un cunnilingus de larga duración que finalizará cuando tú lo digas. Te puedes mover apoyándote sobre tus rodillas y decidiendo, a tu ritmo, alejar o acercar su sexo hacia el rostro y lengua de tu catador. Del mismo modo, también eres tú quien decide dónde te apetece centrar el placer y recibir la caricia.

Si estás en forma podrás subir y bajar el sexo apoyándote únicamente sobre los pies. O sea, de cuclillas. Pero si además quieres obsequiar a tu entregado amante con una masturbación, ésta es una postura ideal.

Cara a cara y de rodillas

En estas posiciones puedes observar claramente las variaciones en el rostro de tu amante a medida que le sube la temperatura. También puedes cabalgar sobre tu pareja e inclinarte sobre su pecho con las rodilla dobladas y apoyadas en la cama o donde os apetezca, pero que sea blandito.

Con esta posición estimulas el clítoris, que tan a gusto se queda con la fricción de los cuerpos. Con las manos sobre los hombros de tu amante, puedes controlar la velocidad de la fricción para aumentarla o disminuirla según te convenga.

Andrómaca

También se conoce como la posición del molino. Aquí, él se tumba boca arriba y tú te sientas encima con las rodillas dobladas, así podrás controlar el ritmo y la profundidad. Además consigues un mayor frotamiento del agradecido clítoris.

Si quieres, te puedes inclinar hacia atrás, sobre sus muslos, y extender los brazos al máximo. Así consigues que su pene roce tu punto G. Si a ello se añade las caricias que tu pareja te hace en el clítoris, el orgasmo puede ser de campeonato.

También te puedes inclinar hacia delante para estimular los pechos de tu pareja, lo cual agradecerá; y para más placer aún puedes levantar rítmicamente la pelvis.

El columpio

Una vez tienes las rodillas apoyadas en la cama, siéntate sobre él y mueve las caderas hacia arriba o hacia abajo, así como hacia delante y hacia atrás. Usa las manos para hacer presión sobre su pecho y moverte. Balancea tus caderas y abdomen para todos los lados y con movimientos circulares.

Con la postura llamada Andrómaca el
hombre está en situación de inferioridad,
la mujer le domina y se convierte en la
maestra del juego.

El revoloteo de la mariposa

En este caso tú puedes controlar el ritmo, la profundidad, el ángulo y la velocidad de la penetración. Él te puede ayudar con las manos para sostenerte y guiarte en los ritmos. Para ello, **pon los pies sobre la cama mientras estás sentada sobre él** y sube y baja al ritmo que te apetezca. Después intenta apoyar uno de los pies y la rodilla de la otra pierna sobre la cama. Con ello conseguirás estimular un lado en particular de la vagina o punto G, descubre cuál es el tuyo.

Ying-yang

En cuclillas, él recibe a la pareja, quien también se sienta de cuclillas sobre él, los movimientos pueden imitar los de una hamaca, yendo de atrás para adelante con los pies apoyados en el suelo. También **puedes hacer que él se mantenga inmóvil mientras te mueves** hasta llegar al punto cumbre del orgasmo. Si ves que tu estado físico no da la talla quizá te convenga realizar unas cuantas sesiones de entrenamiento para tonificar los músculos antes de poner a prueba tu equilibrio.

La mejor butaca

Deja que tu pareja se acomode confortablemente sobre una almohada grande **para recostar la espalda y flexionar las piernas** mientras las abre ampliamente, aunque sin forzar. Acomódate y deja que su pene erecto penetre en tu vagina controlando entre los dos el ritmo y la intensidad. Apoya tus piernas sobre sus hombros y deja que te acaricie el clítoris de esa manera que tanto te excita.

La amazona

En esta postura deja que él se relaje acostado boca arriba y con las piernas levemente abiertas y las rodillas flexionadas hacia su pecho. **Acomódate de cuclillas y amóldate a su postura** permitiendo que su pene entre dentro de ti lentamente. Deja que sus muslos os impulsen de arriba abajo y cabalga.

La unión del simio

Él se acuesta sobre la espalda con las piernas levantadas y flexionadas sobre su pecho. Siéntate de espaldas a él sobre

Acomoda a tu pareja
para que disfrute
de tus caricias.

la parte trasera de sus muslos y usa sus pies de apoyo.
Si haces movimientos circulares y laterales con la pelvis veréis qué gusto.

El trapecio

Él se sienta con las piernas abiertas y tú encima, cara a cara, mientras te vas echando hacia atrás suavemente y tu pareja te sujeta por las muñecas hasta que quedas tumbada por completo. Debes relajarte y dejarte llevar por su fuerza, confía en él y verás como te atrae de nuevo hacia su cuerpo. Además de cambiar de rutina, te aportará sensaciones desconocidas hasta ahora.

El atrapado

Estirado, él espera pasivamente y con las piernas juntas a que te sientes encima de cara a él. **Tus pies se estiran hacia su cabeza para luego abrir ligeramente las piernas.**

Apoya tus manos hacia atrás, sobre los lados de los muslos de tu pareja y deja que él te coja de las caderas para ayudarte en el movimiento ascendente y descendente.

Si lo preferís, las manos de tu amante también pueden servir para magrearte como prefieras.

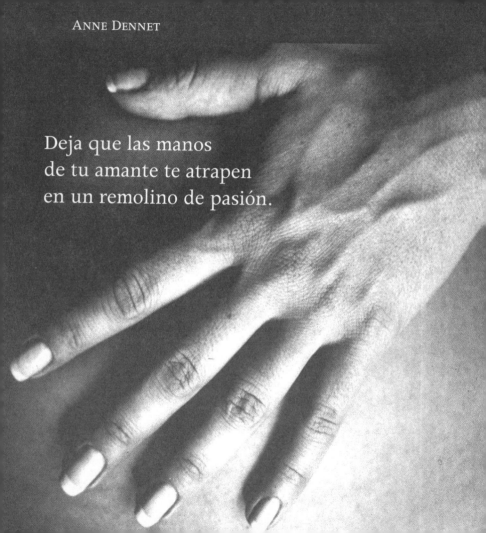

ANNE DENNET

Deja que las manos
de tu amante te atrapen
en un remolino de pasión.

La hamaca

Sentado sobre una superficie más bien dura, como el suelo, él se sienta con las piernas flexionadas y aguantándose la parte posterior de las rodillas. Instálate de cara sobre las piernas de él y su pecho para que te empuje hacia sí con las rodillas. El movimiento de los dos hará que la entrada del pene en la vagina se vea acompañado. Cómo no, si queréis añadirle placer, la ofrenda de tus pechos juegan un buen papel en el asunto.

La balanza

Acomódalo sentado sobre una silla o sobre la cama, si es alta. Siéntate sobre él con los pies apoyados en el suelo dándole la espalda, y una vez penetrada marca el ritmo hacia delante y balancéate sobre todo el largo que el turgente pene te permita. **Deja que te toque el pecho, te bese el cuello y te acaricie como quiera.** Si bien estas posiciones en las que estás de espaldas no resultan tan estimulantes para el punto G, sí son excelentes para aquellas mujeres a las que les gusta llegar hasta el fondo o dicho de otro modo, el cuello del útero. Si lo hacéis delante de un espejo disfrutaréis de una dosis de voyeurismo.

El columpio de espaldas

Te permite la penetración estando de espaldas y apoyándote en los pies. Él te espera estirado. Las vistas de las que disfruta él, en este caso, sirven para ponerlo bastante a cien, sobre todo, porque además puede acceder a ellas con facilidad. No obstante, el ángulo de penetración es a veces un poco incómodo, así que **si quieres ser buen amante, puedes disminuir la velocidad de los movimientos.** De este modo también podrás disfrutar de un estímulo anal y tu pareja podrá tocarte el pecho.

También hay una variante en la que te apoyas sobre las rodillas, lo que te permite aún más amplitud de movimientos y si cabe, mayor placer.

Variante del columpio

En la postura del columpio puedes estirarte hacia atrás al mismo tiempo que estiras tus extremidades sobre las de él. Él te podrá tocar el pecho con libertad y tú hacer **sinuosos movimientos en círculo con las caderas.**

La abeja

Él te recibe sentado y con las piernas estiradas hacia delante. Siéntate sobre él de espaldas mientras vas y vienes verticalmente apoyándote sobre las manos y las piernas. Él puede acompañar el movimiento sujetándote de las nalgas o los muslos.

En este caso las paredes de delante de la vagina y el punto G están bien estimulados. **El hombre tiene una posición más pasiva pero no menos estimuladora,** pues puede acariciar los senos y el

Haz sinuosos movimientos con tu
caderas para estimular a tu pareja.

clítoris. Puede ser bastante más descansado para él si apoya la espalda en la pared.

Flor de Loto

Él se sienta con las piernas cruzadas sobre la cama y tú te sientas encima a horcajadas. En este caso él es quien lleva la batuta a la vez que saborea el esplendor de tus senos. En esta posición el movimiento consiste en subir y dejarse caer uno tras otro para que caigas sobre el pene. También os podéis cambiar y hacer que sea él quien se precipite sobre tu vagina. Si no apetece la caída libre, el balanceo es una alternativa menos arriesgada.

Con él arriba

La ofrenda

Este es un cunnilingus que resulta algo acrobático pero que **la originalidad de la postura merece la pena.** Estando ella estirada, empezará a arquear los riñones para que le agarres las nalgas y acerques su sexo a tu boca. Ella también podrá sujetar tu cuello entre sus muslos, a la vez que apoya el resto de las piernas sobre tu robusta espalda inclinada.

Hoja de rosa

Esta es otra postura que permite la degustación del sexo de tu amada. Ella, de pie, muy inclinada hacia delante se apoya en una silla, mientras desde abajo y sentado en el suelo sobre un cojín, **puedes besar, lamer, o penetrarla con la lengua**, hasta llegar, incluso a su ano, en donde la lengua se convertirá en el pene ideal con la que brindarle sensaciones inesperadas; luego, siempre te puedes levantar y sustituir la lengua por el pene de verdad e introducirlo por el orificio que tan a punto has dejado.

Posición de la Indra

Ella se tumba sobre la espaldas con las piernas flexionadas de manera que sus muslos lleguen a tocar su pecho, para recibirte con la vagina abierta mientras la penetras de rodillas. Los pies de tu amante se apoyarán sobre tu pecho y tú podrás inclinarte hacia delante apoyándote en la planta de sus pies. Con ello conseguiréis una penetración profunda que va acompañada de la estimulación que proporciona la compresión del vientre y la vagina.

El molino

Ella se tiende boca arriba con las piernas un poco levantadas para recibirte. **Tú te estiras encima de ella pero boca abajo.** Es decir, las cabezas están cada una en lados opuestos.

Eso sí, los sexos están en pleno contacto: el clítoris y los labios vaginales tocan de lleno con la pelvis y los alrededores de tu pene. Los movimientos circulares son los que valen aquí. Ella podrá disfrutar del calibre de tu testículos o del vigor de tus nalgas.

¡Ah! y si eres de los que no tiene fronteras, entrégate a los placeres de tu punto G previo paso por el ano.

El junco

Ella boca arriba se apoya sobre las manos que coloca detrás de sus hombros. Si esto es demasiado para ella, probad apoyando solo la cabeza en el suelo, en cuyo caso te irá bien un cojincito o similar. **Arrodillado, la coges por las caderas y te la montas sobre tus piernas flexionadas.** Que estas rodeen tus caderas. A pesar de que requiere bastante esfuerzo, el cansancio se ve recompensado por la potencia del orgasmo.

El Junco requiere bastante
esfuerzo, pero el cansancio
se ve recompensado
por la potencia del orgasmo.

La catapulta

Arrodíllate y recibe el sexo de tu amante dejando que sus glúteos se apoyen sobre tus muslos. **Para lograr más placer ella tendrá que elevar las caderas** para estar más en contacto con tu cuerpo. Si quieres, puede estirar las piernas hasta los hombros o bien flexionarlas y hacer que los pies se apoyen en tu pecho. Y ya que lo tienes a mano, puedes estimular su clítoris. El placer está asegurado.

La profunda

En esta posición la penetración es total. Ella te espera boca arriba con las piernas abiertas. Cuando la penetras, sus piernas se apoyan sobre tus hombros de manera que los muslos quedan en contacto con su pecho; tú te apoyas en el suelo con las manos a la altura de sus hombros. Gracias al movimiento, los testículos irán golpeando rítmicamente las nalgas de tu amante y el clítoris quedará presionado por la apertura de las piernas, aumentando así el placer de la posición. Como su nombre indica, la penetración es absoluta y profunda y el contacto genital, único.

La luna

Aquí tendrás que poner a prueba tu flexibilidad, pero el alcance de la penetración lo compensa todo. Ella te espera estirada boca arriba con las piernas abiertas, que pasará por encima de tus ingles, esperando a que la penetres

En la cama cualquier
esfuerzo vale la pena
si consigues que tu amante
sienta nuevos placeres.

sentado y con las piernas estiradas hacia sus hombros, lo que te permitirá regular el movimiento ayudándote a la vez al cogerla por los hombros. La penetración es de largo alcance, y la flexibilidad que te exige, también.

El misionero

Es la postura clásica por excelencia, aunque no por ello ha de ser menos. Ella se estira con las piernas un poco flexionadas mientras la penetras estando encima. Una posibilidad añadida para que no sea tan fácil la penetración es que los dos apretéis más las piernas. También permite acariciarle el clítoris y que ella te agarre las nalgas. De todas formas, si quieres ofrecerle una experiencia más intensa en lo referente al clítoris lee en «Cómo masturbarla».

Posición del bostezo

Cuando la mujer levanta sus piernas y muslos y los mantiene bien abiertos, se denomina la posición del bostezo.

Ella se recuesta sobre la espalda y levanta las piernas sobre tus hombros, que como el resto de tu cuerpo, se encuentra encima de ella. Si quieres, **puedes usar las manos para empujar las piernas contra su pecho.** Con ello conseguirás que ella dibuje un ángulo mayor en su pelvis y por lo tanto tu pene llegará mejor al maravilloso punto G.

El bambú

A partir del misionero, ella desliza una pierna sobre tu hombro y permite que simultáneamente eches tu rodilla hacia delante. Después de unos instantes en esta posición, ella ha de bajar la pierna y repetir el mismo movimiento con la otra pierna. **El movimiento de la piernas hacia arriba y hacia abajo se debe repetir varias veces,** con lo que conseguiréis ejercer una fricción sobre el área del punto G. La posición es un poco acrobática, pero la originalidad tiene un precio.

La cortesana

Ella se sienta al borde de una cama, sofá o silla mientras te arrodillas para que el pene pueda entrar a la misma altura que la vagina y estrecharte con las piernas rodeando tu cintura. La profundidad de penetración es buena y permite amplitud de movimientos de la pelvis; además, es una postura poco cansina para ambos.

Es fundamental calcular la altura de la base sobre la que la cortesana apoyará sus reales posaderas, de lo contrario el plan se puede ir al garete.

Las cucharas

Deja que ella se tumbe sobre el costado con las piernas acurrucadas mientras tú te acoplas a su cuerpo por detrás para penetrarla. Desde aquí podrás acariciar los pechos o el clítoris, según os apetezca. Además, la posición es dulce y descansada. Indicada para quienes son

Si la noche promete
ser larga, escoje posturas
algo más relajadas.

conscientes de sus limitaciones físicas. No hay que olvidar que también cabe la penetración anal.

La libélula

Tenéis que estar tendidos de costado y acoplados el uno al otro. **Ella se acuesta apoyada sobre uno de los codos y se tiende de costado.** Acóplate detrás de ella pegando el pecho a su espalda, luego levanta una de sus piernas y pasa una de las tuyas entre las de ella. La que no está sobre el colchón se apoya, mediante una flexión, sobre tu nalga. En esta postura la penetración no llega hasta el final del recorrido pero no impide que el orgasmo sea total.

La boa

Ella tiene que estar estirada sobre la espalda y ligeramente
de costado, para apoyar las piernas sobre tus caderas. Tú
te sitúas a su lado y buscas con tu pene el hermoso orificio
de su vagina. En este caso es importante que ella comprima
la vagina para que no se escape el pene involuntariamente.
Los movimientos están un poco limitados, pero sí
que invitan a hacer el amor suave y tranquilamente.
Recomendable en días tántricos.

El antílope o el perrito

Los dos sobre cuatro patas. La penetras por detrás
pudiendo además tocar el clítoris o el ano, aunque a lo
mejor preferís que alcance los testículos; en realidad

una cosa no está reñida con la otra. En función de si ella abre o no las piernas conseguiréis una mayor compresión del pene.

El tornillo

En esta postura es mejor que ella se estire de costado sobre un colchón alto o una cama baja, ya que se ha de acostar de espaldas dejando los glúteos al borde, para que te arrodilles frente a ella y la penetres a través de su vagina estrecha, ahora en posición cerrada. **La postura es de lo más sensual.**

Utiliza tu sensualidad
para despertar
pasiones.

Los dos de pie

La carretilla

Para amantes avanzados y dignos de una medalla.

Ella se coloca al borde de la cama con los antebrazos apoyados (siempre será más efectivo si la cama o soporte en cuestión es altito), mientras él la levanta de las piernas y la penetra por detrás. Existe una variante más espectacular y acrobática que consiste en que ella apoye las manos sobre el suelo, lo cual no dejará de requerir por su parte un buen estado muscular. Las grandes ventajas de esta postura es que permite una gran variedad de movimientos: hacia arriba, hacia abajo, en círculo, con las piernas de ella más o menos abiertas…

La unión del lobo

Estando los dos de pie y ella delante del amante dándole la espalda, él la atrae contra sí y la penetra por detrás, tomándola por la cintura, mientras ella, flexionada de cintura para arriba, deja caer su cuerpo hasta apoyar las manos sobre el suelo. Es una posición bastante excitante para ambos, además de que se consigue máxima amplitud y penetración. No obstante, si no tenéis la misma altura podéis tener algún que otro problema.

El abrazo

Si estáis en buena forma y os apetece superar retos en cuestión de sexo, en esta posición necesitaréis fuerza y concentración. Se ha de coger a la mujer en brazos y penetrarla mientras ella se sujeta con las piernas firmemente enlazadas alrededor de la cintura. Él la sujeta por las nalgas. Ella puede apoyar la espalda a una pared para aguantar mejor. **La posición es excitante,** pero se lleva mejor con mujeres livianas.

De pie

Él detrás, y situados **de tal manera que estéis en paralelo.** Lo interesante de esta postura es que el pene debe hacer lo posible por presionar sobre la parte delantera del bajo vientre. Así se conseguirá estimular el punto G. Un taburete sobre el que apoyar uno de los pies de ella puede ayudar bastante a maximizar las sensaciones.

Intenta encontrar la postura
que más placer te puede
dar a ti y a tu pareja.

Las tijeras

Los dos amantes están estirados con las cabezas en sentido opuesto, lo único que los une es el sexo. Para ello las piernas de uno y otro se entrecruzan. **Esta unión garantiza una estimulación mutua de las zonas erógenas principales,** como el clítoris y los labios menores. Al tener las manos libres los amantes se pueden acariciar las piernas o los pies. Si eso no es suficiente, ella puede frotar sutilmente los pezones con sus muslos y aumentar progresivamente el contacto, pero además puede añadirle el componente de acariciarle el perineo o los testículos con la mano.

El puente de madera

En esta postura, el amante tiene que ponerse en forma inmediatamente o bien pertenecer a algún grupo de baile, o de circo; si es que se quiere probarla y disfrutar de ella. Aquí, él se coloca haciendo el puente hacia atrás mientras ella lo monta con cuidado y delicadeza antes de comenzar el movimiento de rotación. **Sería como montar un toro,** pero en vez de montarlo por el lomo, por las abdominales. Después de esto estaréis, seguro, por encima de la media.

La siesta

Puede que tras el gran esfuerzo realizado con el puente de madera necesitéis echaros una siesta reparadora.

Para ello, nada más indicado que esta postura que además de su relax, **las caricias fluyen con generosidad.** Él se ha de tumbar de costado y apoyado sobre un codo, mientras ella se sitúa estirada en perpendicular a él y con las piernas por encima de sus caderas, para que la penetración sea por detrás.

No te vayas

Ellos están acostados de lado pero en sentido opuesto, es decir, la cabeza de ella hacia los pies de él. **Ella lo rodea con sus piernas y frota sus pechos contra sus muslos,** a los que abraza con firmeza y mientras, además de la penetración ella puede ofrecerle su hermoso agujerito que queda por penetrar en esta zona y

La sensualidad
tiende a la innovación,
despierta la curiosidad
y la imaginación. No dejes
de practicarla.

así obtener todos los placeres que brindan estos dos sexys orificios.

Ante el espejo

La pareja se ha de colocar delante de un espejo grande. Los dos arrodillados, él con su pene erecto espera a que ella se arrodille también delante de él y le ofrezca su sexo. **Uno detrás del otro con la espalda recta y bien unidos por el sexo podrán disfrutar de las vistas ante el espejo:** él, de la hermosura de los senos mientras los acaricia, ella de la mano que él posa delicada y maliciosamente sobre el clítoris, que estará en la postura ideal para ser acariciado. Es más, si quieren, se pueden incorporar hasta que el pene salga y asome por el sexo de ella, como si tuviera pene, al que podrá acariciar con gusto.

¿Y las embarazadas?

Escoge la mejor postura

No hay ningún motivo que impida disfrutar de las bondades del sexo mientras se está embarazada. Si la futura madre tiene ganas y se siente a gusto haciendo el amor, es hasta recomendable, pues es ya público que el orgasmo estimula el feto y ayuda a tener un parto más fácil. Así que no hay que olvidarse de que éstas son mujeres llenas de vida y con un potencial sensorial a flor de piel. El sexo prenatal ya no es ningún tabú. Eso sí, solo hay que saber qué posturas son las buenas.

El yunque

Estírate sobre la espalda apoyando los pies sobre el pecho de tu amante, quien delante de ti te penetra de rodillas. Como comprobarás si es que no superas los cuatro meses, **podrás estar cómodamente estirada** mientras él hace el esfuerzo. Si quieres, una almohada debajo de los riñones aumentará aún más el confort.

Ella arriba

Él te espera tumbado boca arriba mientras lo montas sentada y con las rodillas flexionadas. De este modo **tú**

controlas el ritmo y la profundidad de la penetración además de que la barriga no te queda aprisionada. Es ideal para saborear unos pechos que pueden ya dar de mamar a tu amante.

El perrito

Apóyate sobre las rodillas y los brazos, e idealmente sobre alguna superficie mullidita, si el volumen ya es considerable, una almohadita debajo de la panza, puede ser la clave.

Él te cogerá por las caderas y te penetrará por detrás por lo que tú puedes estar tranquila dejándote llevar por **el ritmo que os marquéis según vuestros deseos.**

Siesta

Como ya se ha indicado anteriormente, la postura de la siesta es apropiada para las embarazadas pues la comodidad de la misma la hace ideal para el toqueteo y las caricias. La penetración no es tan profunda, con lo cual la estimulación de los alrededores de la vagina puede ser un buen aliciente.

Y recuerda, no hay ningún motivo que impida disfrutar de las bondades del sexo mientras se está embarazada.

Ante el espejo

Esta postura descrita antes, permite disfrutar de las atenciones del hombre mientras la barriga de la madre descansa sobre las rodillas.

Sobre la silla

Siéntate de espaldas sobre tu amante, que estará sentado al borde de una cama más bien alta, silla o butaca. Una vez penetrada **serás tú quien marque el compás de la coreografía** dejando a su vez que te acaricie los pechos o el clítoris (si todavía puede acceder).

Pero si tu barriga no es todavía muy prominente podéis aún daros el gusto poniéndote de cara y ofreciéndole tus senos.

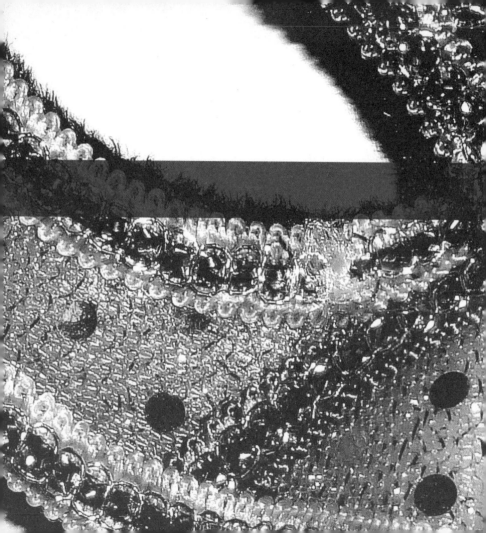

Juegos para mayores

Algunos accesorios
para tener a mano

- Los pañuelos de seda, satén y piel son unos versátiles y sorprendentes complementos.

- Las corbatas, medias y los pañuelos sirven para hacer unas primeras y suaves incursiones en el mundo del bondage.

- Un antifaz te puede servir para dormir…pero también para tener una noche de los más excitante.

- Recomendable para amantes de los contrastes: aceite de masaje tibio y cubitos de hielo en contacto con la piel.

El médico y la enfermera

No podía faltar este clásico que se remonta a parvulitos.
Si en su día se disfrutó ya su puesta en escena cuando
los adultos se enfrascan sin censuras la diversión alcanza
cotas insuperables. **Ahora se pueden invertir los
papeles** y aportar instrumental sanitario como una lupa
o una barrita de madera para examinar.

Los guantes o los lubricantes siempre son útiles para hacer
tactos.

Organizar una fiesta
solo para dos

No hace falta que acudan todos los invitados. Eso sí, los regalos son condición *sine qua non* para ser aceptado.

Si los regalos tienen que ver con la juguetería erótica mejor que mejor.

Exhibicionistas

Solo hace falta una gabardina, abrigo o una albornoz y cómo no, los zapatos puestos. Si os apetece salir a dar una vuelta a la manzana puede elevar la temperatura incluso en épocas de termómetros bajo cero.

Luego, en casa es donde puede empezar el show.

El museo rojo

La mujer de tus sueños tiene los ojos vendados y tú como pieza de museo debes permanecer quieto y expuesto a que te encuentre e identifique mediante el reconocimiento de tu cuerpo desnudo.

No puedes moverte, te toque donde te toque. Se permite jadear. También puedes fingir que te equivocas.

Adorna tu vida sexual
con algún complemento
excitante.

Frío frío, caliente caliente…

Esconded un dulce o golosina en alguna parte del cuerpo.
Cualquier sitio es bueno para empezar
a buscar así que cuando la cosa esté que arda,
seguramente es que estarás a punto de encontrarla.
Ah!, siempre puedes hacer que te cueste mucho
encontrarlo.

Una prostituta de lujo

Conviértete en una prostituta de lujo, así que cuando estás con un cliente, no tiene más remedio que hacer caso de sus deseos, pues él es quien manda.

Cuando ya has hecho lo que te ha pedido, la prostituta debe preguntar si desea algo más. Eso sí, el cliente también debe pagar y adaptarse a la tarifa vigente.

El sexo también exige ciertas dosis de imaginación, para no caer en la rutina.

Sesión porno

Hoy en día, hacerse con una cámara de vídeo es bastante más fácil. Así que si dispones de una puede ser un buen momento para dirigir tu propia película.

Un programa informático puede ayudarte con la edición. Luego siempre podéis verla juntos desde la cama.

Cómetelo

Las cremas, yogures o helados suelen ser ingredientes clásicos en estos menús. Siempre se puede experimentar, pero si no apetece arriesgarse por qué no comerse un dulce sobre soportes tan exquisitos y únicos como el del cuerpo de tu amante. Seguro que la fusión de los materiales os convierte en comensales privilegiados ante platos tan suculentos.

¿Qué tal un tatuaje?

Dibuja un tatuaje que se pueda borrar en alguna parte del cuerpo. Mejor si es secreta. Ahora bien, para saber cuál esa zona primero hay que hacer una exploración exhaustiva del territorio.

Besos de mariposa

Estás desnudo y te obligan a tumbarte en un jardín lleno de flores. Luego te vendan los ojos y te pintan las zonas erógenas con una mezcla a base de agua y almíbar que atrae a las mariposas. Debes adivinar si es una mariposa o tu pareja quien te toca.

Si te equivocas recibirás un pequeño castigo.

Un buen corte de pelo... púbico

La experiencia de que alguien corte y arregle el vello que rodea sus partes más íntimas resulta deliciosamente erótica.

Para ellos es más favorecedor la el corte en forma de V o corazón. A ellas el corazón también les sienta bien, pero si quieres, puedes rasurarlo del todo.

Sesión de cine privada

Convertid el dormitorio en una sala de cine. Ambiéntala con luz tenue, una pantalla de televisión, una caja de bombones u otras delicias y una película de sexo erótica.

No hace falta que sea una película de porno duro, pues a veces suele dejar hasta un poco frío, pero sí podéis daros un paseo por el videoclub y escoged entre los dos algo como *El imperio de los sentidos*, *El Kamasutra*, o quizá ya disponéis de alguna otra referencia.

Una película erótica puede
convertir vuestra habitación en
un interesante plató de cine.

Curiosidades y variedades

Semen al gusto

Si estás convencido de que a ella le va a apetecer practicar sexo oral, **puedes contribuir al gusto** si mejoras el olor y el sabor de tu semen. Para ello toma nota de lo siguiente:

- Reduce el consumo de sal y pimienta. Hacen que el semen sepa amargo.
- Opta por alimentos insípidos como las patatas y los guisantes si quieres conseguir un olor neutro.
- Toma canela y azúcar para endulzarlo.
- Si sabes que le gusta el curry, no dudes en saborear un buen pollo tikka masala.

Almacena esperma

Si quieres proveerte abundantemente de esperma
puedes adoptar una serie de medidas.
Hínchate de alimentos ricos en zinc, como las semillas, los
frutos secos, el queso curado o si tu bolsillo te lo permite
incluye las ostras en tu dieta.

Lubricantes

Con ellos puedes evitar cualquier riesgo de irritación de las mucosas. Se usan tanto para jugar como para resolver algunas dificultades sexuales.

Su elección también está condicionada por el material del juguete erótico que vayas a usar.

Son imprescindibles para la penetración anal, pues dado que el sexo no está preparado para lubricarse naturalmente resulta necesario si se quieren evitar daños mayores.

Los más recomendables son los de base acuosa ya que son más fáciles de quitar. Todos ellos los encontrarás en internet, en tiendas especializadas o en farmacias.

Juguetes y lubricantes

Según el material de los juguetes

Látex

Has de utilizar obligatoriamente un lubricante a base de agua. Los grasos pueden deteriorar o manchar tu material de juego.

Silicona

También has de utilizar el lubricante a base de agua. En cualquier caso no utilices jamás un gel de silicona para un juguete de silicona, pues lo estropearía irreversiblemente.

Vidrio y metal

Puedes utilizar el que prefieras, pues al ser un material no poroso no puede degradarse con facilidad.

Elastomed

Puedes optar tanto por uno a base de silicona como por uno de agua. Los de silicona tienen la ventaja de secarse más lentamente.

En todos los casos evita la vaselina, ya que solo es apropiada para la penetración vaginal. Se seca muy deprisa y favorece la proliferación de gérmenes.
Otro dato, comprueba igualmente la composición y asegúrate de que no lleva glicerina, que puede provocar micosis.

Lubricantes sabrosos

Existen lubricantes con sabores y colores. Puedes
probar los comestibles. Se trata de unas pequeñas
cápsulas llenas de gelatina que debes morder
mientras practicas el sexo oral para que los genitales de tu
pareja queden impregnados de un gel comestible de olor
agradable. También existe el gel con sabor a chocolate. No
te lo pierdas si eres goloso.

Sorpréndelo
con alguna sorpresa
que no se esperaba.

Recupera el factor sorpresa

Cuando nos acostumbramos a una rutina sexual, lo que un día fue excitante, ahora nos parece normal e incluso aburrido. Por lo tanto, recupera la frescura sexual trabajando el elemento sorpresa.

Unas sorpresas de muestra

- Deja un mensaje sugerente en el buzón de voz de su móvil. Si no tiene envíaselo vía sms.
- Esconde una nota amorosa en el bote del café.
- Deposita en un lugar seguro, pero que se encuentre accidentalmente y con facilidad, una foto erótica.

El truco de la gelatina

Llena un condón hasta arriba de gelatina y luego pónselo. La mayor parte de la gelatina se saldrá, pero quedará parte de ella, así que sujeta la parte superior del condón con fuerza para que la gelatina no salga y con la otra mano masajea su pene de arriba abajo. La sensación variará según esté fría o templada la gelatina.

Ten un vibrador a mano

Los estudios más recientes demuestran que todos los genitales femeninos (clítoris, labios y vagina) experimentan una erección cuando se excitan sexualmente.

La próxima vez que hagas el amor considera la posibilidad de colocar un vibrador cerca de tu clítoris. Es bueno para ambos.

¿Sabías que…?

Algunas mujeres pueden alcanzar el orgasmo con tan solo mover los músculos vaginales.

La testosterona

La testosterona es una hormona natural que influye en el apetito sexual de la mujer. Las mujeres que experimentan una intensa subida de su deseo sexual un poco antes de tener el período probablemente poseen un alto nivel de testosterona.

Paradójicamente las mujeres con un alto nivel de testosterona disfrutan menos de las relaciones sexuales que las mujeres con menos testosterona.

No hay nada tan agradable
que poder ver a tu pareja
completamente satisfecha.

Un pequeño empujón

Existe una testosterona sustitutiva que se receta sin problemas porque se vende en forma de gel. Se frota la piel con él evitando que se introduzca en el hígado y pase directamente a la sangre. De ahí que sea más segura que antes.

Los fanáticos de la comida sana creen ciegamente en el ginseng como potenciador de la respuesta sexual.

Los entusiastas del vino señalan que un par de copitas de vino ayuda a superar las inhibiciones y hace que resulte más fácil responder sexualmente.

Plugs anales

Están diseñados **para llevarlos puestos** y sentir una sensación de plenitud. Están hechos de silicona o de goma y son fáciles de lavar.

Tienen diferentes formas y tamaños. Existe:

- El plug largo, delgado y puntiagudo.
- La versión más corta, más abultada y ligeramente curvada.
- La versión pequeña rechoncha, con cuentas gordas.

Algunos datos

- El pene promedio de un hombre mide entre 12,7 y 15,3 centímetros, mientras que el pene de una ballena azul mide 3,6 metros.

- Los delfines y los humanos son los únicos animales que además de la reproducción también tienen sexo solo por placer.

-Después del orgasmo obtenido en la relación sexual o en la masturbación, se concilia el sueño con más facilidad. Los estudios creen que la actividad sexual favorece el sueño, en parte debido a la acción de las hormonas y las sustancias cerebrales.

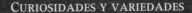

Después de tanto trajín siempre apetece un buen descanso, aunque sea para poder empezar de nuevo.

Es mejor que tomes precauciones para no contraer enfermedades venéreas.

Sexo seguro

A menos de que estés completamente seguro de que tú y tu pareja no estáis infectados de sida es mejor que tomes precauciones para no contraer esta enfermedad sexual o quedarte embarazada cuando no se desea.

La colocación del condón es importante. Los

condones tienen una punta que debe apretarse para que no entre el aire, pues si te lo pones sin que haya salido, existen muchas posibilidades de que mientras practicas el sexo se reviente. No lo desenrolles antes de tiempo. Sujeta la punta con una mano y con la otra desenróllalo hacia abajo sujetándolo con firmeza. No debes soltar la punta hasta que llegue a la parte inferior del pene. De lo contrario lo más probable es que se desprenda.

Los entusiastas del vino o del cava señalan que un par de copitas ayuda siempre a superar las inhibiciones.

Títulos de la colección **Vital**

1. **Mensajes con amor**, de Susan Jeffers
2. **Pídeselo al Universo**, de Bärbel Mohr
3. **Felicidad es…**, de Margaret Hay
4. **Disfruta el momento**, de Raphael Cushnir
5. **Vivir de otra manera es posible**, de Regina Carstensen
6. **Sentirse bien**, de Wayne W. Lewis
7. **Aprende a vivir con optimismo**, de Catherine Douglas
8. **Mejora tu salud emocional**, de Robert Cameron
9. **Si quieres, puedes…**, de Daniel y Patricia Day
10. **Muévete**, de Ana Molina
11. **Aprende a combinar alimentos**, de Julie Davenport
12. **Llena tu vida de vida**, de Lyn Miller
13. **Libera tu mente**, de Peter Greining
14. **Yoga para tu salud**, de Eric Baxter
15. **Mejora tu vida con el feng shui**, de Futabei Shoki
16. **Los mensajes de El Secreto**, de Carol Marshall
17. **Comprende tus sueños**, de Peter Talbott
18. **Enriquece tu vida sexual**, de Anne Dennet

Otros títulos de **Vital**

Comprende tus sueños. Peter Talbott

Aprende a interpretar las señales que te envían tus sueños para conocerte mejor Los sueños tienen un carácter revelador, premonitorio y terapéutico en ocasiones. Todos soñamos, lo que sucede es que muchas veces no recordamos su contenido o este aparece de forma difusa. Los sentimientos y pensamientos que acontecen durante el sueño son muy importantes ya que contribuyen a dar forma y perspectiva a nuestra vida diaria.

Los mensajes de El Secreto. Carol Marshall

Este libro contiene las ideas fundamentales que Rhonda Byrne, autora de *El Secreto*, y Brenda Barnaby, autora de *Más allá de El Secreto* y *Más allá de la Ley de la Atracción,* han expuesto en sus obras a propósito de la Ley de la Atracción. Pensar, pedir, creer, visualizar y recibir son los verbos que sustentan los mensajes de El Secreto y que, unas veces en forma de parábola y otras como dardos, se lanzan directos a nuestra mente.

Aprende a combinar alimentos. Julie Davenport

Sigue los principios básicos de la combinación de alimentos para conseguir una vida saludable. Julie Davenport es una reconocida dietista, especialista en salud y bienestar que en esta obra nos explica que nuestro organismo es una máquina de precisión que funciona cuando el aparato digestivo y todo el metabolismo enzimático pueden funcionar con normalidad. Seguir una dieta saludable combinando alimentos de forma armónica es una garantía de futuro.